Pe. FERDINANDO MANCILIO, C.Ss.R.

Meus encontros com Jesus Sacramentado

EDITO...

DIREÇÃO EDITORIAL: Pe. Fábio Evaristo R. Silva, C.Ss.R.
COORDENAÇÃO EDITORIAL: Ana Lúcia de Castro Leite
COPIDESQUE: Manuela Ruybal
REVISÃO: Luana Galvão
DIAGRAMAÇÃO E CAPA: Mauricio Pereira

ISBN 978-85-369-0467-2

1ª impressão: 2016

3ª impressão

Rua Pe. Claro Monteiro, 342 – 12570-000 – Aparecida-SP
Tel.: 12 3104-2000 – Televendas: 0800 - 16 00 04
www.editorasantuario.com.br
vendas@editorasantuario.com.br

Introdução

Bendita seja a Santíssima Eucaristia, penhor da eternidade em nossa humanidade!

Certamente temos muitas oportunidades, às vezes, até todos os dias, de passar alguns instantes ou alguns minutos diante de Jesus Sacramentado. Quando fazemos isso, enriquecemo-nos do amor de Cristo por nós, experimentamos sua presença amável e confortadora.

O importante não é a quantidade, mas a intensidade com que realizamos isso ou aquilo. Assim também na oração: poucos instantes podem ser tão intensos e do agrado de nosso Senhor.

Foi com a intenção de facilitar a oração pessoal diante do Santíssimo Sacramento que nasceu este livro de orações. Ele traz dezesseis momentos oracionais, com o intuito de nos ajudar a nos comunicar com Jesus eucarístico. Toda oração é comunicação, é diálogo, é encontro. Não é fácil propor uma oração pessoal, pois cada orante tem seu modo de comunicar-se com Deus. Por isso estas orações são uma proposta oracional.

Deus quer que estejamos nele e com Ele. Certamente, passar alguns instantes diante do Santíssimo Sacramento em nada atrapalhará nossos afazeres diários. Ao contrário, eles serão muito mais intensos e significativos, muito mais cheios de sentido, pois nosso coração estará sintonizado com o coração divino.

No final do livro, encontram-se algumas orações favoráveis e possíveis para serem rezadas diante de Jesus sacramentado.

Esperamos que estes momentos oracionais nos ajudem a nos aproximar de nosso Senhor. Santo Afonso Maria de Ligório, que fez do sacrário o lugar de seu encontro com o Redentor, interceda ao Senhor por nós, nossa família e nossa Comunidade.

1

Minha vida, dom de Deus!

A vida é dom sublime, que Deus nos deu. Ele não pode ser subestimado, mas sim amado e respeitado. O valor da vida está acima de qualquer outro valor ou conveniência.

1. Diante do Senhor

Em nome do Pai † e do Filho e do Espírito Santo. Amém.

Senhor, estou aqui diante de vós, que estais presente no Santíssimo Sacramento. Eu vos amo e venho vos bendizer, pois sois o Deus de minha vida. Fortalecei minha vida e fortificai minha fé. Iluminai-me com a luz de vosso Espírito Santo e guiai-me no caminho de vossa verdade. Eu reconheço, Senhor, vossa presença na Eucaristia, a vós meu louvor e meu amor.

Senhor, que eu tenha um coração sereno e acolhedor, mesmo que haja preocupações e dificuldades. Eu sei que junto de vós sou capaz de vencer sempre, pois é vosso amor que me sustenta nesta vida. Amém.

2. A Ele meu louvor e gratidão

Senhor Jesus, diante de vós coloco minha vida. São tantas as coisas que tenho para vos agradecer. É impossível eu dizer quais são, pois quem é capaz de medir vosso amor? Eu não sou capaz de medir vosso amor. Não há pessoa alguma no mundo capaz de enumerar vossos beneplácitos.

A vós, meu Senhor, meu louvor e minha gratidão. Vós sois o meu Deus e o meu Senhor. Eu quero vos louvar, agradecendo a vós, que não olhais para minha pequenez, mas sim para meu coração, tão desejoso de vos amar mais e mais. Aceitai, Senhor, meu louvor.

(Permaneça uns instantes em silêncio, agradecendo e louvando ao Senhor.)

3. A Palavra me ilumina

"Na noite em que foi entregue, o Senhor Jesus tomou o pão e, depois de dar graças, partiu-o e disse: 'Isto é o meu corpo que é dado por vós. Fazei-o em memória de mim'. Do mesmo modo, depois da ceia, tomou também o cálice e disse: 'Este cálice é a nova aliança, em meu sangue. Todas as vezes que dele beberdes, fazei isto em minha memória'" (1Cor 11,23-25).

(Permaneça uns instantes em silêncio, meditando a Palavra.)

4. No Senhor está minha vida

Ajudai-me, Senhor, a compreender a grandeza da Eucaristia, que é vossa presença em mim e entre nós. Ajudai-me a ser cada vez mais autêntico(a) em minha vida, e que nenhuma dificuldade venha me tirar a confiança em vós.

Fazei de meu coração um sacrário, onde vós morais, e me dais a vida e vossa misericórdia. Conservai-me, Senhor, em vosso caminho, pois só em vós tenho a vida. Vós sois meu Caminho, minha Verdade, minha Vida. Amém.

– Graças e louvores se deem a cada momento.

– Ao Santíssimo e Diviníssimo Sacramento!

5. Maria, Mãe de Jesus e minha Mãe

Maria, vós estais onde está vosso Filho Jesus. Por isso eu sei que vós estais junto dele e comigo também o adorais. Vós me apontais o coração de vosso Filho, pois é nele que eu encontro a vida, a paz, a alegria. Eu também vos agradeço, ó Maria, por serdes minha Mãe, porque sois a Mãe de Jesus, meu Irmão e meu Salvador. A vós, ó Maria, meu amor e minha gratidão, igualmente a vosso Filho Jesus, tão vivo e tão presente na Sagrada Eucaristia. Amém.

– Rogai por mim, Santa Mãe de Deus.

– Para que eu seja digno(a) das promessas de Cristo. Amém.

– Pai nosso, que estais no céu...

– Ave, Maria, cheia de graça...

– Glória ao Pai...

6. Despedida

Obrigado(a), Senhor meu Deus, pela vida que me destes. Fortalecei minha fé e dai-me vossa paz e vossa bênção: Em nome do Pai † e do Filho e do Espírito Santo. Amém.

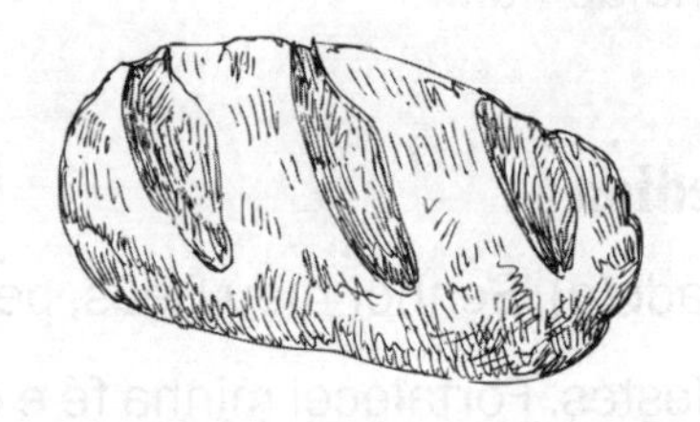

2

Minha família, presente divino!

A família é de constituição divina,
ou seja, não foi feita por nenhum homem
ou mulher, veio de Deus.
Por isso, ela é sagrada, é bendita.
Ninguém tem o direito de nela
interferir, nem mesmo o Estado,
porque é de constituição divina.
Amemos nossa família.

1. Diante do Senhor

Em nome do Pai † e do Filho e do Espírito Santo. Amém.

Senhor, estou aqui diante de vós. Fostes vós mesmo que me chamastes para estar aqui agora, pois vós quereis meu bem e minha paz. Obrigado(a) por vossa presença tão viva e real no Pão do altar.

Não considereis, Senhor, minhas fraquezas e limitações, mas olhai com benevolência para meu coração, que deseja ser sincero convosco. Comigo trago minha família. Nós temos muitas coisas boas e bonitas lá em casa, em nossa convivência. Mas vós também sabeis e conheceis nossas fraquezas, que geram algumas dificuldades. Derramai, ó Jesus, vós que estais tão perto de nós, vossa graça e vossa misericórdia sobre minha família. Senhor Deus da Vida, acolhei todo o meu ser. Transformai-me em vosso amor. Eu confio e espero em vós. Amém.

2. A Ele meu louvor e gratidão

Senhor Jesus, eu creio que vós estais presente no Santíssimo Sacramento. Eu estou aqui para vos louvar e vos bendizer, pois o que posso fazer por vós? Vós me fizestes e me destes tudo, portanto eu só posso mesmo vos louvar, bendizer-vos e vos agradecer.

Obrigado(a), Senhor, pelas pessoas que me ajudam e me estendem a mão. Obrigado(a) por minha família, pois fostes vós que nos chamastes para estarmos juntos em nossa casa.

Confirmai-nos em vosso amor, e, na certeza de vossa presença junto de minha família, superaremos nossos limites e dificuldades. Amém.

(Permaneça uns instantes em silêncio, agradecendo e louvando ao Senhor.)

3. A Palavra me ilumina

"Disse Jesus: 'Eu sou o bom pastor, conheço minhas ovelhas e minhas ovelhas me conhecem, como o Pai me conhece e eu conheço o Pai. Eu dou minha vida por minhas ovelhas. Tenho ainda outras ovelhas que não são deste aprisco; é preciso que eu as conduza também. Ouvirão minha voz, e haverá um só rebanho e um só pastor. É por isso que o Pai me ama; porque dou minha vida para retomá-la de novo'" (Jo 10,14-17).

(Permaneça uns instantes em silêncio, meditando a Palavra.)

4. No Senhor está minha vida

Senhor Jesus, sei que vós estais comigo. Não me abandoneis, pois sois minha segurança. Sei também o quanto preciso mudar minhas atitudes, meus gestos e minhas palavras, para que eu esteja muito mais perto de vós. Reconheço vossa presença em minha vida, na vida de meus irmãos e de minhas irmãs, mas aumentai, Senhor, minha fé. Contando com vossa graça, Senhor, meu Salvador, tenho a confiança e a certeza de que amanhã serei melhor que hoje, pois vós me amparais com vossa misericórdia. Não me deixeis sucumbir jamais, Senhor, e guiai-me a cada dia em vosso amor. Amém.

– Graças e louvores se deem a cada momento.

– Ao Santíssimo e Diviníssimo Sacramento!

5. Maria, Mãe de Jesus e minha Mãe

Ó Maria, Mãe de Jesus e minha Mãe do céu, vós sois minha alegria e o modelo de vida cristã e de amor a Deus e às pessoas. Ajudai-me a andar um pouco mais em minha fé e no amor a Jesus. Tenho ainda muito para caminhar e para alcançar, pelo menos um pouquinho, tudo o que a Senhora foi aqui na terra. Estendei-me, ó Mãe querida, vossas mãos benditas e protegei-me qual a uma criança, pois a certeza de vossa presença me traz paz e segurança. Amém.

– Rogai por mim, Santa Mãe de Deus.

– Para que eu seja digno(a) das promessas de Cristo. Amém.

– Pai nosso, que estais no céu...

– Ave, Maria, cheia de graça...

– Glória ao Pai...

6. Despedida

Obrigado(a), Senhor, por eu ter ficado alguns instantes diante de vós. Eu creio em vossa presença no Santíssimo Sacramento. Eu vos amo, Senhor, e vos peço vossa bênção: Em nome do Pai † e do Filho e do Espírito Santo. Amém.

3

Minha Igreja, sacramento do Reino!

A Igreja é sacramento do Reino de Deus.
Ela nasceu no coração do Cristo e foi
plantada entre nós pelos Apóstolos.
Deles recebemos a herança da fé,
que ficou enraizada entre nós.
Por meio da Igreja,
preservamos e vivemos
essa mesma fé.
Nossa Igreja tem raízes
profundas e é firme o chão que pisamos.

1. Diante do Senhor

Em nome do Pai † e do Filho e do Espírito Santo. Amém.

Senhor Jesus, meu coração quer agora rezar, bendizer-vos e vos louvar. Sei que não estou sozinho(a), pois vós estais ao meu lado. Como é bom, Senhor, sentir vossa presença, pois sinto nascer dentro de mim uma força incomparável de vosso amor. Ajudai-me a corresponder sempre ao vosso amor e a vossa bondade.

Fazei-me, Senhor, caminhar com firmeza nesta vida, sentindo a força de vossa graça, pois sois meu Deus e Salvador, sois meu irmão e companheiro inseparável.

Senhor, penetrai meu coração com vosso amor e bondade. Sois minha fortaleza e minha paz, minha vida e minha certeza. Sois a luz que dissipa toda a treva. Confio e espero em vós. Amém.

2. A Ele meu louvor e gratidão

Senhor Jesus, quem pode compreender vosso amor infinito por mim e por nós? Eu vos agradeço, Jesus, e vos louvo com alegria e amor. Meu coração é rebelde e, às vezes, egoísta também, pois só pensa em si mesmo. Senhor, obrigado(a) por vossa Igreja, pois ela vem me lembrar sempre de que é preciso vos amar e vos servir. Sede bendito, meu Jesus, nos gestos de acolhimento e de misericórdia das pessoas que amam e servem os pobres e nos gestos de ternura para com elas. Amém.

(Permaneça uns instantes em silêncio, agradecendo e louvando ao Senhor.)

3. A Palavra me ilumina

"Enquanto ceavam, Jesus levantou-se da mesa, tirou o manto e, tomando uma toalha, colocou-a à cintura. Em seguida, pôs água numa bacia e começou a lavar os pés dos discípulos e a enxugá-los com a toalha com que estava cingido" (Jo 13,2.4-5).

(Permaneça uns instantes em silêncio, meditando a Palavra.)

4. No Senhor está minha vida

Ó Jesus, como é bom estar aqui junto de vós e contemplar vossa presença na Eucaristia. Fico feliz, Senhor, muito feliz, em poder ficar estes instantes diante de vosso sacrário. Eu sei que estais bem pertinho de mim. Sinto vossa presença e isso me traz uma alegria sem-fim.

Senhor, meu Deus Redentor, que eu seja capaz de manifestar tudo o que sinto agora e me deixa feliz, nos gestos, nas palavras e nas atitudes. Não permitais que eu vos ofenda, ofendendo meu irmão e minha irmã. Fortalecei minha fé e minha vida. Amém.

– Graças e louvores se deem a cada momento.

– Ao Santíssimo e Diviníssimo Sacramento!

5. Maria, Mãe de Jesus e minha Mãe

Maria, sei que vós estais aqui comigo, pois onde está Jesus vós também estais. Vós estais ao meu lado e me apontais a Jesus, vosso Filho. Mãe querida, fortalecei minha vida na verdade de Jesus. Sois meu porto seguro, pois a certeza de vosso amparo maternal me fortalece e me dá ânimo para viver. Em vós, ó Mãe, encontro o refúgio de que tanto necessito. Amém.

– Rogai por mim, Santa Mãe de Deus.

– Para que eu seja digno(a) das promessas de Cristo. Amém.

– Pai nosso, que estais no céu...

– Ave, Maria, cheia de graça...

– Glória ao Pai...

6. Despedida

Senhor, fiquei muito feliz em poder rezar um pouco, contemplando vossa presença na Sagrada Eucaristia. Eu vou me retirar, mas quero levar-vos em meu coração. Abençoai-me: Em nome do Pai † e do Filho e do Espírito Santo. Amém.

4

Minha Comunidade, dádiva de Deus!

Desde o dia em que Jesus chamou para junto dele os Doze primeiros, a Comunidade ganhou seu sentido mais pleno. É impossível para nós, cristãos, vivermos isolados, pois nossa vocação é para a união e a fraternidade. A Comunidade será sempre sinal da presença do Reino entre nós.

1. Diante do Senhor

Em nome do Pai † e do Filho e do Espírito Santo. Amém.

Coloco-me, Senhor Jesus, diante de vossa presença na Eucaristia. Sinto-me feliz em poder parar um pouquinho para falar convosco. Coloco toda a força de meu afeto para vos louvar, bendizer-vos e vos agradecer. Olhai com amor para minha vida e enchei-me da coragem, da fé e da esperança. Confirmai minha vida e meus desejos sinceros em vos amar e vos respeitar de todo o meu coração.

Estendei vosso olhar sobre minha Comunidade. Ali nos reunimos em vosso nome para ouvir vossa Palavra e celebrar nossa vida. Derramai sobre ela uma chuva de bênçãos e de graças e ajudai-me a nela viver com alegria e em fraternidade.

Senhor, seja de vosso agrado esta minha visita. Fazei-me perceber vossa presença na vida de meus irmãos e irmãs. Amém.

2. A Ele meu louvor e gratidão

Elevo a vós, meu Jesus, minha prece de louvor. Cantem os Anjos a grandeza de vosso amor, e todos os homens e mulheres elevem até vós uma prece de gratidão. Eu vos louvo e agradeço, pois como poderei viver longe de vossa presença?

Ninguém é capaz de viver longe de vós, ó Senhor, meu Redentor. Mesmo que haja os que imaginam poder viver sem vós, enganam-se a si mesmos. Quero, Senhor, com minha Comunidade, agradecer-vos e vos louvar agora e sempre. Amém.

(Permaneça uns instantes em silêncio, agradecendo e louvando ao Senhor.)

3. A Palavra me ilumina

"Assim como o corpo é uma unidade e tem muitos membros, mas todos os membros do corpo, apesar de serem muitos, formam um só corpo, assim também acontece com Cristo. Nós todos, judeus e gregos, escravos e livres, fomos batizados num só Espírito, para formarmos um só corpo; e todos bebemos de um só Espírito" (1Cor 12,12-13).

(Permaneça uns instantes em silêncio, meditando a Palavra.)

4. No Senhor está minha vida

Senhor, eu quero hoje vos falar sobre minha Comunidade. Há muitas coisas que precisamos superar, pois eu sei que elas não agradam a vós. Vós quereis nossa união e fraternidade. Quereis que vosso Evangelho se torne vida em nossa vida. Eu vos agradeço por minha Comunidade, pois nela aprendo cada vez mais a viver vosso projeto de amor, o de vosso Reino. Fortalecei-me, Senhor, pois desejo e quero viver em minha Comunidade, escutando vossa Palavra e praticando o bem e a caridade. Amém.

– Graças e louvores se deem a cada momento.

– Ao Santíssimo e Diviníssimo Sacramento!

5. Maria, Mãe de Jesus e minha Mãe

Maria, quem poderá se esquecer de vós? Ninguém poderá vos abandonar, pois sois a medianeira, a Mãe que me leva, e também a minha Comunidade, para dentro do coração de Jesus, vosso Filho. Obrigado(a) por serdes minha Mãe. Vosso olhar, ó Mãe, a mim volvei, também a minha família e a minha Comunidade, pois eu quero caminhar com firmeza no caminho de Jesus. Amém.

– Rogai por mim, Santa Mãe de Deus.

– Para que eu seja digno(a) das promessas de Cristo. Amém.

– Pai nosso, que estais no céu...

– Ave, Maria, cheia de graça...

– Glória ao Pai...

6. Despedida

Senhor Jesus, obrigado(a) por terdes me ouvido. Obrigado(a) por minha Comunidade. Espero alcançar de vós a paz, a alegria de viver e vossa bênção: Em nome do Pai † e do Filho e do Espírito Santo. Amém.

5

O amor em primeiro lugar!

A prova plena e eterna do amor de Deus por nós é Jesus, seu Filho, amor encarnado entre nós. Seu amor é vida e salvação. Amor ágape, que nos realiza plenamente. Podemos já, aqui na terra, experimentar esse amor que viveremos plenamente, um dia, no céu.

1. Diante do Senhor

Em nome do Pai † e do Filho e do Espírito Santo. Amém.

Meu Jesus, por amor vós estais presente no Pão consagrado. Vós assim o quisestes, para estar junto de mim. Como posso ser amado assim por vós? Obrigado(a), Senhor.

Ensinai-me, Senhor, a olhar com amor para as pessoas que estão próximas de mim. Ensinai-me a olhar com amor para mim mesmo. Preciso de vosso amor e eu o desejo, Senhor. Inspirai meus pensamentos para que eles sejam nobres e para que sejam dignas minhas atitudes. Vosso amor me sustenta e me inspira. Fazei, Senhor Jesus, Pão da vida eterna, que vosso Evangelho seja meu guia todos os dias e que eu nada faça, senão inspirado(a) nele. Senhor, acolhei esta minha visita. Quero alimentar minha existência com vosso amor e vossa bondade. Só assim, Senhor, terei a força de que necessito para viver em paz. Amém.

2. A Ele meu louvor e gratidão

Senhor, meu Jesus, eu vos amo com toda a força de meu afeto. Eu vos agradeço principalmente o amor que vós tendes para comigo. Em cada dia experimento e sinto vosso amparo e vossa misericórdia. Vós tendes muita paciência comigo.

Obrigado(a), meu Jesus, por vosso amor e por vossa bondade, por vossa misericórdia e paciência, que tendes comigo e com minha família. Vós sois minha vida e minha paz. Eu vos louvo e vos agradeço de todo o meu coração. Amém.

(Permaneça uns instantes em silêncio, agradecendo e louvando ao Senhor.)

3. A Palavra me ilumina

"Disse Jesus: 'Como o Pai me amou, assim também vos amei. Permanecei em meu amor. Se guardais meus mandamentos, permanecereis em meu amor, assim como eu guardei os mandamentos de meu Pai e permaneço em seu amor. Eu vos disse estas coisas para que minha alegria esteja em vós, e vossa alegria seja plena'" (Jo 15,9-11).

(Permaneça uns instantes em silêncio, meditando a Palavra.)

4. No Senhor está minha vida

Senhor Jesus, vosso amor por mim e por nós todos vos fez permanecer na terra, entre nós, no mundo inteiro. Vós desejais morar em meu coração. Eu quero que ele vos abrigue e vos sirva com toda a sua força. Senhor Jesus, morai em meu coração e transformai-o.

Senhor Jesus, eu vos encontro sempre presente em minha vida; mesmo que eu, às vezes, nem perceba vossa presença, vós estais ali. Vosso amor não admite a ausência, somente a presença. Eu confio e espero em vós. Amém.

– Graças e louvores se deem a cada momento.

– Ao Santíssimo e Diviníssimo Sacramento!

5. Maria, Mãe de Jesus e minha Mãe

Maria, Mãe de Jesus, sois minha esperança. Sois meu exemplo de vida cristã, de amor e de esperança. Sois o modelo de quem coloca a vontade de Deus em primeiro lugar. Ajudai-me em minha fé, que é tão frágil e pequena. Guiai-me, ó Mãe querida, no caminho de Jesus. Maria, depois de Jesus, eu coloco em vós toda a minha esperança. Na certeza de que vós estareis sempre ao meu lado, não vacilarei. Vós quereis estar sempre ao meu lado, pois sois minha Mãe. Vós quereis minha paz, pois sois Mãe de Deus. Guardai-me junto a vós, ó Mãe. Amém.

– Rogai por mim, Santa Mãe de Deus.

– Para que eu seja digno(a) das promessas de Cristo. Amém.

– Pai nosso, que estais no céu...

– Ave, Maria, cheia de graça...

– Glória ao Pai...

6. Despedida

Obrigado(a), Pai do Céu, por me terdes dado Jesus, vosso Filho. Obrigado(a) Jesus por vosso amor e vossa presença no Pão do altar. Derramai sobre mim vossa paz: Em nome do Pai † e do Filho e do Espírito Santo. Amém.

6

Serei sempre misericordioso(a)!

A misericórdia é o agir de Deus conosco. Ele deseja só o bem e quer nos ver felizes sempre, serenos, cheios de paz. Se Deus é assim conosco, nossas atitudes não poderão ser diferentes uns com os outros. Andemos, pois, no caminho da misericórdia, caminho da vida.

1. Diante do Senhor

Em nome do Pai † e do Filho e do Espírito Santo. Amém.

Senhor, estou aqui diante de vós, que estais presente no Santíssimo Sacramento. Quero falar convosco, mas quero muito mais vos escutar. Falai, Senhor, pois quero vos ouvir. Senhor, eis-me aqui; eu preciso e quero vossa misericórdia. Mudai meu coração, transformai minha vida. Fortalecei minha esperança. Dai-me vossa paz.

Vós sois, ó Jesus, o Deus de misericórdia. É tão bom estar em vossa presença. Assim como a brisa leve da manhã sopra em minha face, sinto vossa misericórdia presente em minha vida. Estendei sobre mim vossa mão divina e misericordiosa, protegei-me.

Senhor, ajudai-me a ser misericordioso(a) sempre. Em cada dia quero andar em vosso caminho. Amém.

2. A Ele meu louvor e gratidão

Senhor Jesus, a vós meu louvor. As aves e as nuvens do céu vos louvam, Senhor. As criaturas da terra, dos mares, dos rios, do fogo e do calor vos louvam, Senhor. E junto deles eu vos bendigo, meu Jesus, por minha vida e por vosso amor.

Obrigado(a), meu Jesus, pois vosso amor é sem-fim. Obrigado(a) por vossa misericórdia e pelas pessoas que tiveram misericórdia de mim. Ajudai-me a ser misericordioso(a) para com as pessoas que me cercam e para comigo mesmo(a). Amém.

(Permaneça uns instantes em silêncio, agradecendo e louvando ao Senhor.)

3. A Palavra me ilumina

"Disse Jesus: 'Felizes os pobres em espírito, porque é deles o Reino dos Céus. Felizes os que choram, porque Deus os consolará. Felizes os não violentos, porque receberão a terra como herança. Felizes os que têm fome e sede de justiça, porque Deus os saciará. Felizes os misericordiosos, porque conseguirão misericórdia. Felizes os de coração puro, porque verão a Deus. Felizes os que promovem a paz, porque Deus os terá como filhos. Felizes os que são perseguidos por agirem retamente, porque deles é o Reino dos Céus...'" (Mt 5,3-10).

(Permaneça uns instantes em silêncio, meditando a Palavra.)

4. No Senhor está minha vida

Senhor Jesus, nas horas difíceis e amargas, clamo por vossa misericórdia. Eu sei que ela é vosso amor misericordioso, por isso não tenho receio de vos implorar: Vinde ao meu auxílio com vossa misericórdia. Confio e espero em vós.

Quem poderá viver sem vosso auxílio, Senhor? Ninguém! Nem a pessoa mais forte deste mundo nem a mais rica e poderosa poderá dispensar vossa misericórdia. Dai-me, Senhor, vossa misericórdia. Amém.

– Graças e louvores se deem a cada momento.

– Ao Santíssimo e Diviníssimo Sacramento!

5. Maria, Mãe de Jesus e minha Mãe

Maria, sois Mãe de misericórdia. Socorrei-me com vossa bondade maternal. Confortai-me nas horas de dificuldades e alegrai-vos comigo nas horas felizes. Fazei-me sempre lembrar do amor paciente de vosso Filho Jesus. Fazei-me fiel ao Evangelho de vosso Filho Jesus. Derramai sobre minha vida vossa bênção e proteção, ó Mãe. Vós sois a Mãe que estais sem cessar ao meu lado. Confortai-me sempre com vossa presença maternal. Amém.

– Rogai por mim, Santa Mãe de Deus.

– Para que eu seja digno(a) das promessas de Cristo. Amém.

– Pai nosso, que estais no céu...

– Ave, Maria, cheia de graça...

– Glória ao Pai...

6. Despedida

Senhor, meu Deus, fazei-me sentir todos os dias vosso amor misericordioso e que eu seja misericordioso(a). Abençoai-me e guardai-me: Em nome do Pai † e do Filho e do Espírito Santo. Amém.

7

A humildade santifica e enobrece!

No coração de Deus cabem todos os humildes. Jesus, no Evangelho, conclamou a grandeza dos pequenos e dos simples e louvou ao Pai, cuja sabedoria a eles revelou. A fraqueza dos humildes vence a força dos autossuficientes e prepotentes.

1. Diante do Senhor

Em nome do Pai † e do Filho e do Espírito Santo. Amém.

Senhor Jesus, venho diante de vós com toda a disposição de meu coração. Venho falar convosco neste pequeno tempo diante de vós, mas quero fazê-lo com toda a intensidade de minha alma. Olhai com bondade para mim e tende misericórdia, pois sou necessitado(a) de vosso auxílio divino. Que poderei fazer nesta vida sem vossa ajuda amorosa?

Sem vosso amor, eu não sou, Senhor. Sem vossa bondade, não poderei viver. Amparai-me com vossa presença e vosso amor, com os quais posso contar todos os dias de minha vida. Olhai com bondade para este vosso(a) filho(a) e dai-me o alento de vossa paz. Senhor, vós sois meu Deus e meu Senhor. Em vós encontro a força de que tanto preciso. Amém.

2. A Ele meu louvor e gratidão

Lembro-me, Senhor, daquele publicano que nem ousava levantar seus olhos e vos pedia perdão, porque dizia-se pecador. Com humildade eu quero vos louvar por vossa misericórdia infinita e por todos os humildes da terra, que encontram em vós a paz e a esperança.

Sim, meu Deus, eu vos bendigo de todo o meu coração. Vós me conheceis e sabeis quais são meus pensamentos e sentimentos. Eu vos louvo e vos bendigo, pois só em vós encontro a alegria de viver. Eu vos bendigo por tudo o que vós me fazeis sem nenhum merecimento meu. Amém.

(Permaneça uns instantes em silêncio, agradecendo e louvando ao Senhor.)

3. A Palavra me ilumina

"O publicano, mantendo-se longe, nem tinha coragem de levantar os olhos para o céu, mas batia no peito, dizendo: 'Meu Deus, tem piedade de mim, que sou pecador! Eu vos digo que este desceu para casa justificado'" (Lc 18,13-14).

(Permaneça uns instantes em silêncio, meditando a Palavra.)

4. No Senhor está minha vida

Senhor Jesus, eu vos agradeço vossa misericórdia e paciência comigo. Eu sei que tenho de mudar muitas coisas dentro de mim. Eu sei que preciso ser mais humilde e preciso ter disposição para ouvir, acolher e compreender as pessoas que me cercam. Ajudai-me.

Eu vos peço humildemente: Dai-me a graça de vos amar mais e viver com mais humildade. Vós me deixastes o exemplo de humildade, pois, vós sendo o meu Deus, não possuístes nenhum bem e em tudo servistes a mim e à humanidade inteira. Ajudai-me, Senhor, a ser humilde e simples.

– Graças e louvores se deem a cada momento.

– Ao Santíssimo e Diviníssimo Sacramento!

5. Maria, Mãe de Jesus e minha Mãe

Ó Maria, quanto amor vós tendes para comigo. Como Jesus, vós também fostes fiel ao Pai e nada buscastes para si, a não ser o amor dedicado e fiel. Tocai meu coração, para que minhas atitudes, pelo menos, assemelhem-se um pouco a vossas atitudes. Dai-me um coração simples e servidor, Mãe querida. Olhai com bondade maternal para mim, que agora estou diante de vosso Filho Jesus, presente na Eucaristia. Lembrai-me, sem cessar, de que o caminho que me conduz ao céu é o do serviço, o da simplicidade, o da humildade e o da fidelidade a vosso Jesus. Amém.

– Rogai por mim, Santa Mãe de Deus.

– Para que eu seja digno(a) das promessas de Cristo. Amém.

– Pai nosso, que estais no céu...

– Ave, Maria, cheia de graça...

– Glória ao Pai...

6. Despedida

Senhor, meu Deus, quero viver com alegria minha vida, dom de vosso amor. Quero vos servir com amor em meus irmãos e irmãs. Dai-me vossa paz e vossa bênção: Em nome do Pai † e do Filho e do Espírito Santo. Amém.

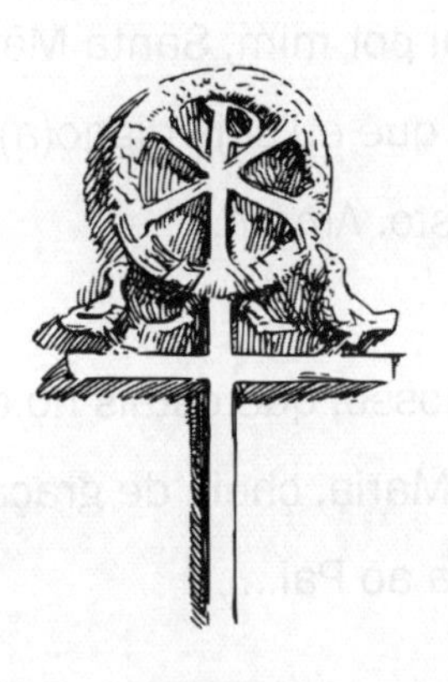

8

Eucaristia, alimento de vida eterna!

"Eu sou o pão vivo descido do céu. Quem comer deste pão viverá eternamente. E o pão que eu darei é minha carne, para a vida do mundo" (Jo 6,51).

1. Diante do Senhor

Em nome do Pai † e do Filho e do Espírito Santo. Amém.

Ó Jesus, humildemente me coloco diante de vós, para falar convosco neste momento. Vós sois meu Deus e Senhor, meu Rei e Redentor. Aceitai-me, ó Jesus, em vosso amor e misericórdia. Eu acredito em vossa presença no Pão eucarístico, que sois vós mesmo. Vós sois meu alimento de vida eterna. Sois meu Salvador. Apresento-me diante de vós cheio de confiança, pois sei que me acolheis do jeito que sou, como acolhestes a Samaritana, a mulher adúltera, Zaqueu e o pagão que vos pediu misericórdia e vós curastes sua filha doente. Eu espero em vós, ó Senhor, meu Jesus.

Estendei sobre minha vida vossa misericórdia e vossa paz, vossa bondade e vosso amor. Senhor, vós sois minha esperança e minha vida. Sois o alimento de minha salvação. Amém.

2. A Ele meu louvor e gratidão

Senhor Jesus, belo foi aquele dia em que dissestes: "Minha carne é verdadeiramente comida, e meu sangue, verdadeira bebida". E ainda nos dissestes muito mais: "Quem come minha carne e bebe meu sangue permanece em mim e eu nele" (Jo 6,55-56).

Senhor Jesus, eu vos agradeço vosso amor incomparável. Eu vos louvo de todo o meu coração, pois onde encontrarei a verdadeira vida, senão em vós? Grande é vossa bondade, sem-fim vosso amor. Obrigado(a), Senhor.

(Permaneça uns instantes em silêncio, agradecendo e louvando ao Senhor.)

3. A Palavra me ilumina

"Jesus tomou um pão, pronunciou a bênção, partiu-o e deu-o aos discípulos, dizendo: 'Tomai e comei, isto é meu corpo'. Depois tomou um cálice, deu graças e passou-o a eles, dizendo: 'Bebei dele todos, pois este é meu sangue, o sangue da aliança, que é derramado por muitos para a remissão dos pecados'" (Mt 26,26-28).

(Permaneça uns instantes em silêncio, meditando a Palavra.)

4. No Senhor está minha vida

Senhor Jesus, como o apóstolo Pedro eu vos digo: "Para onde iremos, Senhor? Só tu tens palavras de vida eterna" (Jo 6,68). Quero que minha vida esteja em vossa vida, meu coração em vosso coração, meu amor em vosso amor. Fazei-me, Senhor, um instrumento de vossa verdade.

Senhor Jesus, vós confiastes a mim vosso Corpo e vosso Sangue, e vos recebo em cada Eucaristia. Transformai-me, ó Jesus, para que eu seja vós mesmo neste mundo, pois eu sei que, cada vez que vos recebo, vós me convidais para ser vós mesmo no mundo. Ajudai-me. Amém.

– Graças e louvores se deem a cada momento.

– Ao Santíssimo e Diviníssimo Sacramento!

5. Maria, Mãe de Jesus e minha Mãe

Maria, sois a Mãe de Jesus. Mãe querida, às vezes me sinto tão cansado(a), desanimado(a) e tenho vontade de desistir de tudo. Mas a certeza de vossa presença materna me faz retomar o caminho de vosso Filho. Não me desampareis, ó Mãe.

Mãe, segurai minha mão e conduzi-me como uma criança pela vida afora. Não deixeis que o cansaço venha me desanimar na fé e na vida. Dai-me vossa força para eu continuar meu caminho. Amém.

– Rogai por mim, Santa Mãe de Deus.

– Para que eu seja digno(a) das promessas de Cristo. Amém.

– Pai nosso, que estais no céu...

– Ave, Maria, cheia de graça...

– Glória ao Pai...

6. Despedida

Senhor Jesus, meu Salvador, em vossas mãos entrego toda a minha vida. Vós, que me enriqueceis com vosso amor e vossa misericórdia, guardai-me e abençoai-me: Em nome do Pai † e do Filho e do Espírito Santo. Amém.

9

Eucaristia, aliança de amor!

Deus fez muitas alianças com seu povo na História da Salvação. Aliança é o amor de Deus presente entre nós. É a presença do próprio Deus no meio da humanidade. A plenitude da Aliança é Jesus, amor eterno e nossa salvação.

1. Diante do Senhor

Em nome do Pai † e do Filho e do Espírito Santo. Amém.

Eis-me aqui, Senhor. Estou diante de vós, pois me chamastes em vosso amor misericordioso. Em meio a meus afazeres e preocupações, quis reservar estes instantes para falar convosco. Eu creio em vossa presença na Sagrada Eucaristia. Quero, Senhor, contemplar-vos aqui e agora. Vós estais presente na Eucaristia. Vós sois a Aliança eterna do Pai, a certeza da vida e minha salvação. Vós sois o tesouro que mais desejo. Buscar-vos em cada dia é minha vontade. Viver em vós é o que espero.

Conservai-me, Senhor, no desejo sincero de vos seguir e vos servir com toda a sinceridade de meu coração. Fazei, Senhor, brilhar em cada rosto humano, e no meu também, vossa ternura e vossa paz. Amém.

2. A Ele meu louvor e gratidão

Senhor Jesus, por todos aqueles homens e mulheres que silenciosamente vos servem nos pequenos e humildes, nos pobres e abandonados, naqueles que estendem suas mãos aos doentes e aos menos favorecidos, eu vos louvo, de todo o meu coração.

Sejam benditos os que vos servem, Senhor, nos irmãos e nas irmãs. Sejam benditos os que no silêncio estão vos servindo nos mais abandonados. São verdadeiros tesouros entre nós. Eu vos louvo e vos agradeço, Senhor, por todos esses homens e mulheres que vos servem com amor. Amém.

(Permaneça uns instantes em silêncio, agradecendo e louvando ao Senhor.)

3. A Palavra me ilumina

"Disse o Anjo a Maria: 'Não tenhas medo, Maria, porque Deus se mostra bondoso para contigo. Conceberás em teu seio e darás à luz um filho e lhe porás o nome de Jesus. Ele será grande e será chamado Filho do Altíssimo... E seu reino não terá fim'" (Lc 1,30-33).

(Permaneça uns instantes em silêncio, meditando a Palavra.)

4. No Senhor está minha vida

Ó Jesus, vós sois a Aliança eterna do Pai. Vós viestes para nosso meio e nos ensinastes o jeito certo de viver. Sinto uma alegria muito grande, Senhor, em poder adorar-vos e bendizer-vos. Quem poderá viver sem vós? Eu quero contar sempre com vosso amor, meu Senhor Jesus. Dignai-vos, Senhor Jesus, acolher meus sentimentos e meus desejos sinceros de vos amar e vos servir. Eu quero sim viver em vossa Aliança eterna, agora e sempre. Amém.

– Graças e louvores se deem a cada momento.

– Ao Santíssimo e Diviníssimo Sacramento!

5. Maria, Mãe de Jesus e minha Mãe

Maria, sois a Mãe do Filho eterno do Pai. Ele é a Aliança de amor que o Pai fez conosco, e vós fostes a escolhida entre todas as mulheres para nos trazer Jesus, nosso Salvador, nosso Deus e Senhor. Felizes nós que o encontramos na vida, pois seremos como luzeiros no firmamento. Permanecei em meu coração, ó Maria, com vosso Filho. Fazei-me encontrar vosso Filho no sacrário e na vida de cada irmão e irmã. Fortalecei minha fé e minha esperança. Amém.

– Rogai por mim, Santa Mãe de Deus.

– Para que eu seja digno(a) das promessas de Cristo. Amém.

- Pai nosso, que estais no céu...
- Ave, Maria, cheia de graça...
- Glória ao Pai...

6. Despedida

Eu vos agradeço, Senhor, meu Salvador. Sois o amor vivo e eterno do Pai presente em minha vida, na de minha família e na de minha Comunidade. Abençoai-me: Em nome do Pai † e do Filho e do Espírito Santo. Amém.

10

Eucaristia, Pão da vida eterna!

No sacramento do altar, instituído por Cristo na última Ceia, o Senhor vem ao encontro de cada homem e mulher, pois fomos criados a sua imagem e semelhança. Só a verdade pode nos tornar livres, e Cristo fez-se alimento de Verdade para nós.

1. Diante do Senhor

Em nome do Pai † e do Filho e do Espírito Santo. Amém.

Jesus, vós sois o mistério de Deus revelado a toda a humanidade. Sois o amor vivo do Pai. Ele me quer cheio de vida e que eu alcance a vida e a paz.

Fazei com que meu coração seja puro e simples, humilde e sincero, para acolher vosso amor salvador e libertador.

Venho com alegria colocar-me diante de vós, pois vós me atraís com vossa bondade infinita. Eu sei que em vós eu encontro a paz e posso vos falar tudo o que se passa em meu coração. Acolhei, Jesus, Pão da vida eterna, minha vida, minha prece, minha presença. Fortalecei minha fé. Senhor, olhai com bondade para mim, pois preciso de vossa presença e de vossa misericórdia. Amém.

2. A Ele meu louvor e gratidão

Senhor Jesus, o amor do Pai foi imenso, infinito, e Ele amou tanto o mundo, que vos enviou, para ficar entre nós. Feliz quem espera e confia em vós. Vós sois o dom por excelência, o dom maior do Pai para conosco.

Eu vos louvo, Senhor Jesus, por minha vida. Também quero vos louvar por todos os que se dedicam à causa da vida e àqueles que labutam em favor dos pobres e abandonados e procuram lhes matar a fome e devolver-

-lhes a dignidade. Aceitai, Senhor, meu louvor e minha gratidão. Amém.

(Permaneça uns instantes em silêncio, agradecendo e louvando ao Senhor.)

3. A Palavra me ilumina

"Disse-lhes Jesus: 'Na verdade, na verdade, eu vos digo: Não foi Moisés que vos deu o pão do céu; meu Pai é que vos dá o verdadeiro pão do céu, pois o pão de Deus é o que desce do céu e dá a vida ao mundo'. Disseram-lhe eles: 'Senhor, dá-nos sempre deste pão!' Jesus disse-lhes: 'Eu sou o pão da vida: quem vem a mim não sentirá mais fome e quem crê em mim nunca mais sentirá sede'" (Jo 6,32-35).

(Permaneça uns instantes em silêncio, meditando a Palavra.)

4. No Senhor está minha vida

Senhor Jesus, seria vos pedir demais, diante de vossos incontáveis benefícios, mas eu vos peço: Dai-me sempre de vosso amor, de vossa misericórdia, dai-me a vós mesmo no Pão do altar. Sinto-me muito feliz em vos receber eucaristicamente.

Fazei-me, ó Jesus, sentir cada vez mais vosso amor, que é vida e salvação. Quero e preciso contar sem cessar com vossa amizade e vosso amor sem-fim. Vós sois o Pão da vida eterna e quereis que eu experimente, já na terra, o que vou viver um dia no céu. Amém.

– Graças e louvores se deem a cada momento.

– Ao Santíssimo e Diviníssimo Sacramento!

5. Maria, Mãe de Jesus e minha Mãe

Maria, vós, que ouvistes tudo de Deus e a Ele fostes obediente, fazei-me também ouvir sua Palavra e plantá-la em minha vida. Como uma planta mimosa, cuidarei do ensinamento do Senhor para viver sua vontade. Maria querida, vós tendes um lugar em meu coração. Vós desejais me levar para perto de vosso Filho Jesus. Fazei isso, ó Mãe querida. Amém.

– Rogai por mim, Santa Mãe de Deus.

– Para que eu seja digno(a) das promessas de Cristo. Amém.

– Pai nosso, que estais no céu...

– Ave, Maria, cheia de graça...

– Glória ao Pai...

6. Despedida

Senhor Jesus, eu vos agradeço por terdes me dado a graça de estar diante de vós. Como é bom, Senhor, estar perto de vós. Por vossa bondade, abençoai-me: Em nome do Pai † e do Filho e do Espírito Santo. Amém.

11

Eucaristia, Jesus presente no Pão!

A Eucaristia foi o jeito que Jesus mesmo criou para permanecer junto a nós. Somente seu amor transbordante e sua humildade podem fazê-lo presente no Pão. Não é a razão humana que poderá explicar sua presença, somente a fé.

1. Diante do Senhor

Em nome do Pai † e do Filho e do Espírito Santo. Amém.

Eis-me aqui, meu Jesus. Vós sois meu tudo. Vós sois meu amor inconfundível e presente no Pão do altar e em minha vida. Vós vos destes por inteiro por amor de mim e de toda a humanidade. Educai-me em vosso amor e fortalecei minha fé e minha esperança. Vós sois meu Salvador e Senhor. Estou aqui, Senhor, pois confio e espero em vós. Sem vossa presença em minha vida, eu nada sou. Longe de vós, sinto-me desamparado e a vida perde seu sentido. Vós sois o Deus Amigo e meu Redentor.

Obrigado(a), Senhor, por vossa presença no Pão eucarístico. Vós mesmo quisestes estar aí para me amar e me salvar. Senhor, derramai sobre minha vida a abundância de vossa bondade e misericórdia. Amém.

2. A Ele meu louvor e gratidão

Senhor Jesus, vós me destes tudo e nada quisestes para vós. Por isso, não posso querer reservar coisas para mim e vos oferecer apenas um pouco de mim. Eu quero ter uma alma generosa e sempre disposta a vos amar. Quero vos dar todo o meu ser, minha vida, minhas virtudes e fraquezas.

Eu vos louvo, Senhor Jesus, por vosso amor infinito. Eu vos agradeço, Senhor, por terdes me dado vossa vida em vosso Evangelho e em vossa morte na cruz. Não quero ser como o lodo dos pântanos, mas como as aves do céu, que vos louvam e vos agradecem na liberdade de poder voar. Amém.

(Permaneça uns instantes em silêncio, agradecendo e louvando ao Senhor.)

3. A Palavra me ilumina

"Tende em vós os mesmos sentimentos de Cristo Jesus: apesar de sua condição divina, não reivindicou seu direito de ser tratado como igual a Deus. Ao contrário, aniquilou-se a si mesmo e assumiu a condição de servo, tornando-se semelhante aos homens. Por seu aspecto, reconhecido como homem, humilhou-se, fazendo-se obediente até a morte, e morte de cruz" (Fl 2,5-8).

(Permaneça uns instantes em silêncio, meditando a Palavra.)

4. No Senhor está minha vida

Senhor Jesus, quero vos servir com todo o meu amor. Quero agradar-vos, correspondendo a vosso ensinamento e a vossa bondade. Tomai, Senhor, minha liberdade, minha vida e tudo o que sou e transformai-me, pois só em vós as coisas têm valor e a vida tem sentido.

Espero em vós, meu Senhor. Fazei com que eu seja firme em meus propósitos e nobre em meus pensamentos. Vós estais presente no Pão da vida eterna, que sois vós mesmo, para me fazer feliz, pois felicidade verdadeira só existe em vós. Acolhei-me em vosso coração divino. Amém.

– Graças e louvores se deem a cada momento.

– Ao Santíssimo e Diviníssimo Sacramento!

5. Maria, Mãe de Jesus e minha Mãe

Ó Virgem Santa e bendita, vós trouxestes o Amor eterno à terra. Vós pensastes em mim quando dissestes vosso sim ao desejo do Pai. Vós sois minha Mãe, porque sois Mãe de meu Jesus, meu Salvador. Quem poderá recusar tão grande dádiva que nos destes, que é Jesus? Ó Mãe de Cristo, Senhora da humanidade de todos os tempos e de agora, conformai minha vida aos ensinamentos de vosso Filho Jesus e dai-me vossa materna proteção. Amém.

– Rogai por mim, Santa Mãe de Deus.

– Para que eu seja digno(a) das promessas de Cristo. Amém.

– Pai nosso, que estais no céu...

– Ave, Maria, cheia de graça...

– Glória ao Pai...

6. Despedida

Meu Jesus, fazei de mim o que mais vos agradar, o que for de vossa vontade. Conservai-me inteiramente em vosso amor e em vossa misericórdia. Abençoai-me: Em nome do Pai † e do Filho e do Espírito Santo. Amém.

12

A Eucaristia me santifica!

O Senhor nos deu a vocação à santidade e os meios para alcançá-la. A Eucaristia é o meio por excelência para a santidade, pois ela é a própria vida de Cristo em nós.
Ele faz comunhão conosco e nos santifica.
Mas nossa parte precisa ser feita, principalmente pelo caminho da caridade.

1. Diante do Senhor

Em nome do Pai † e do Filho e do Espírito Santo. Amém.

Senhor Jesus, venho diante de vós, presente no Santíssimo Sacramento, para vos bendizer, louvar-vos e vos agradecer. Vós sois minha fonte de alegria e de esperança, de paz e de luz. Aceitai minha visita. Transbordai-me de vossos dons e fazei-me descobrir a santidade, que vós me ofereceis com amor. Eu espero em vós a transformação de minha vida.

Senhor Jesus, não quero jamais perder minha esperança em vós, pois seria perder tudo nesta vida. Quero vos amar com toda a força de minha alma e cumprir serenamente em minha vida vossa vontade. Dai-me a graça de vos amar muito e sem cessar, pois neste mundo nada pode superar vosso amor. Senhor, quero ser santo(a) nesta vida e vos amar sem reserva. Dai-me essa graça que vos peço. Amém.

2. A Ele meu louvor e gratidão

Senhor Jesus, vós estais perto de todos os que vos invocam e ouvis os gemidos e clamores de todos os que vos temem. Benditos sejam, Senhor, vosso amor incomparável e vossa bondade sem-fim.

Subam, do coração de todas as criaturas da terra e de cada coração humano, hosanas e hosanas de louvor e gratidão a vós, Jesus, nosso Senhor e Salvador. Alegrem-se todas as criaturas por vossa bondade e vossa misericórdia, que não têm fim. Bendito sejais, Senhor, nosso Deus. Amém.

(Permaneça uns instantes em silêncio, agradecendo e louvando ao Senhor.)

3. A Palavra me ilumina

"Disse Jesus: 'Eu sou a videira verdadeira, e meu Pai é o agricultor. Todo ramo que em mim não produz fruto, ele o corta; e todo ramo que produz fruto, ele o poda para que produza mais fruto ainda... Permanecei em mim, como eu em vós. Eu sou a videira e vós os ramos. Quem permanece em mim e eu nele, esse dá muitos frutos, porque sem mim nada podeis fazer'" (Jo 15,1-5).

(Permaneça uns instantes em silêncio, meditando a Palavra.)

4. No Senhor está minha vida

Ó Jesus, quanto preciso de vossa bondade e misericórdia! Acolhei todo o meu ser e transformai-me. Eu preciso de vossa força e de vosso auxílio. Sei que, sem vossa presença amorosa, nada posso ser nem fazer.

Senhor, fortalecei minha fé e que eu tenha sempre vossos sentimentos. Quero, Senhor, cuidar de minha alma, como se cuida de uma planta germinada, para que ela seja forte e se santifique. Olhai para mim com vossa bondade e dai-me vossa paz.

– Graças e louvores se deem a cada momento.

– Ao Santíssimo e Diviníssimo Sacramento!

5. Maria, Mãe de Jesus e minha Mãe

Maria, sois minha Mãe e a força materna de que tanto necessito. Olhai com bondade para minha vida e concedei-me a graça de ser amparado(a) por vós todos os dias, para que eu ande destemidamente no caminho de Jesus e alcance a santidade. Quero encontrar em vós o remédio de que necessito, pois quero que a força de vossa santidade ressoe em meu coração. Mãe amável, Mãe querida, amparai-me e socorrei-me nesta vida e guiai-me no caminho de Jesus. Amém.

– Rogai por mim, Santa Mãe de Deus.

– Para que eu seja digno(a) das promessas de Cristo. Amém.

– Pai nosso, que estais no céu...

– Ave, Maria, cheia de graça...

– Glória ao Pai...

6. Despedida

Jesus, meu Salvador, firmai minha fé e minha esperança. Guiai-me sob a luz de vosso Espírito Santo e que eu jamais me desvie do caminho de vosso amor. Guardai-me e abençoai-me: Em nome do Pai † e do Filho e do Espírito Santo. Amém.

13

Eucaristia é vida em plenitude!

Comungar o Pão eucarístico é receber o Corpo e o Sangue do Senhor. Cristo é a plenitude de nossa vida, pois nele está nossa eterna salvação. Sem Ele ninguém poderá se salvar. Assim, na Eucaristia reside toda a nossa vida e a nossa salvação.

1. Diante do Senhor

Em nome do Pai † e do Filho e do Espírito Santo. Amém.

Senhor Jesus, diante de vós meu coração alcança a paz e o sentido da vida. Eu necessito de vossa luz, a luz de vossa sabedoria e divindade. Vinde, Senhor, e fazei morada em meu coração, tantas vezes tão frágil e pequeno. Vós sois a âncora que me sustenta, o amor e a misericórdia sem-fim. Vós sois minha vida, minha força e minha salvação. Quero amar o dom da vida, que o Pai me deu, e tudo farei para conservá-la em vosso amor, pois só assim encontrarei sua plenitude.

A comunhão, que eu recebo e que sois vós com vosso Corpo, vosso Sangue, vossa alma e vossa divindade, traz-me alento e alegria de viver. Senhor, meu Deus e meu Redentor, não me desampareis. Vinde a mim e dai-me vossa paz. Amém.

2. A Ele meu louvor e gratidão

Senhor Jesus, vós estais tão perto de mim e de nós, por meio do Sacramento da Eucaristia. Eu quero aqui e agora vos louvar e vos bendizer, pois sois meu Redentor. Vós sois minha força e minha esperança, em vós os fracos tornam-se fortes e os pecadores encontram a salvação e a plenitude da vida.

Senhor Jesus, estendei vossas mãos e acolhei meu louvor e minha gratidão. Obrigado(a), Jesus, por vossa presença na Eucaristia, que nos faz ficar tão perto de vós. Como é bom, Jesus, poder estar diante de vós e vos agradecer de todo o coração. Bendito sejais, Senhor, meu Salvador.

(Permaneça uns instantes em silêncio, agradecendo e louvando ao Senhor.)

3. A Palavra me ilumina

“Jesus foi para uma cidade chamada Naim. Ao chegar à porta da cidade, estavam levando para a sepultura um morto que era o filho único de uma viúva... Vendo-a, o Senhor teve pena dela e lhe disse: ‘Não chore...’ Tocou no esquife e disse: ‘Moço, eu te ordeno: levanta-te!’ O que estivera morto sentou-se e começou a falar” (Lc 7,11-15).

(Permaneça uns instantes em silêncio, meditando a Palavra.)

4. No Senhor está minha vida

Senhor Jesus, vós sois a vida verdadeira e quereis que eu seja ressuscitado. Assim como ressuscitastes o filho da viúva de Naim, ressuscitai-me todos os dias em vosso amor transformador e inovador. Ajudai-me a ter uma fé firme e constante e o desejo sincero de vos servir nos irmãos e nas irmãs.

Jesus, sois minha força e minha esperança. Dai-me força para que eu vos seja fiel. Dai-me vossa luz para que eu conheça o que é de vossa vontade e possa vos servir com alegria em minha família e em minha Comunidade. Amém.

– Graças e louvores se deem a cada momento.

– Ao Santíssimo e Diviníssimo Sacramento!

5. Maria, Mãe de Jesus e minha Mãe

Maria, não quero riquezas nem honrarias, não quero distinção nem lugar de importância. Quero vosso amor materno e a graça de poder amar vosso Filho Jesus e meu Senhor. Vós me compreendeis, ó Mãe, e sabeis o que se passa em meu coração. Conservai-me no caminho de Jesus, alertai-me sobre as coisas que não me trazem a paz, nem me confortam na esperança. Não me abandoneis, ó

Mãe, segurai minhas mãos e conduzi-me no caminho de Jesus. Amém.

– Rogai por mim, Santa Mãe de Deus.

– Para que eu seja digno(a) das promessas de Cristo. Amém.

– Pai nosso, que estais no céu...

– Ave, Maria, cheia de graça...

– Glória ao Pai...

6. Despedida

Obrigado(a), Jesus, por terdes permitido que eu falasse convosco uns instantes. Eu sei que vós me compreendeis e olhais para mim cheio de compaixão. Guardai-me em vosso amor e abençoai-me: Em nome do Pai † e do Filho e do Espírito Santo. Amém.

14

Senhor, quero vossa luz!

"Eu sou a luz do mundo", diz Jesus, "quem me segue não andará nas trevas". A luz da vida brilhou no meio do mundo e é Jesus. Feliz quem o acolhe com amor e se deixa iluminar pela luz da verdade e da vida que nos vem dele.

1. Diante do Senhor

Em nome do Pai † e do Filho e do Espírito Santo. Amém.

Senhor, meu Redentor, venho visitar-vos neste momento. Quero ficar convosco alguns instantes, pois sois meu Senhor e mereceis meu louvor e minha gratidão. Fazei brilhar em minha vida a luz de vossa bondade e misericórdia. Eu vos busco, Senhor, com toda a sinceridade de meu coração. Fazei resplandecer a luz de vossa face em todos os lugares do mundo, principalmente em meu coração, pois é na vossa luz que eu quero viver.

Senhor Jesus, tende compaixão de mim. Preciso de vosso amor e de vossa misericórdia. Iluminai-me. Senhor, meu Salvador, acolhei-me bem junto de vós. Fortalecei-me na fé e na esperança em vós. Amém.

2. A Ele meu louvor e gratidão

Jesus, vós sois a fonte de amor aberta para todos nós. Vós sois a fonte de amor, que mata minha sede de vida, de paz e de luz. Eu vos louvo, bendigo-vos e vos agradeço, Senhor, meu Salvador. Como é bom recorrer a vós, que estais presente na Eucaristia. Bendito sejais, meu Jesus.

Obrigado(a), Jesus, por vosso amor, que posso sentir cada vez que venho visitar-vos no Santíssimo Sacramento. Meu coração fica em paz e tenho mais vontade de viver e de vos servir nas pessoas que me cercam. Bendito sejais, meu Redentor. Amém.

(Permaneça uns instantes em silêncio, agradecendo e louvando ao Senhor.)

3. A Palavra me ilumina

"Disse Jesus: 'Vós sois a luz do mundo. Uma cidade construída no alto do monte não pode ficar escondida. E também não se acende uma luz para pô-la debaixo de um móvel. Pelo contrário, é posta no candeeiro, de modo que brilhe para todos os que estão na casa. Assim deve brilhar vossa luz diante dos outros, para que vejam vossas boas obras e glorifiquem vosso Pai que está nos céus'" (Mt 5,14-16).

(Permaneça uns instantes em silêncio, meditando a Palavra.)

4. No Senhor está minha vida

Meu Jesus, vós sois o tudo de minha vida. Quem pode viver separado de vós? Só os de coração ingrato podem vos menosprezar e deixar-vos abandonado. Não quero, Senhor, procurar outro bem que não seja vosso amor, pois eu sei que só em vós tenho a salvação e a luz, que me guiam no caminho certo.

Quero contar com vossa graça todos os dias. Iluminai meus pensamentos para que eles sejam bons e para que eu possa vos agradar em minhas atitudes. Conservai-me, ó Jesus, bem junto de vós. Não permitais que eu me afaste de vós, de meus irmãos e de minhas irmãs. Amém.

– Graças e louvores se deem a cada momento.

– Ao Santíssimo e Diviníssimo Sacramento!

5. Maria, Mãe de Jesus e minha Mãe

Maria, ensinai-me a querer só o que Jesus quer. Foi assim que vós vivestes. Por isso, ensinai-me viver desse mesmo modo. Vós, que fostes tão humilde e tão simples, ajudai-me a viver com humildade e a sempre me dispor a servir as pessoas que me cercam. Mãe querida, dai-me a coragem de sair de mim mesmo(a) e ir ao encontro das pessoas para ajudá-las em suas necessidades, como vós fostes ao encontro de Isabel para servi-la. Amém.

– Rogai por mim, Santa Mãe de Deus.

– Para que eu seja digno(a) das promessas de Cristo. Amém.

– Pai nosso, que estais no céu...

– Ave, Maria, cheia de graça...

– Glória ao Pai...

6. Despedida

Senhor, meu Deus, vós sois bondade infinita. Derramai sobre mim vossa paz e vossa misericórdia. Iluminai meu coração e meus pensamentos, todos os dias de minha vida, e abençoai-me: Em nome do Pai † e do Filho e do Espírito Santo. Amém.

15

Senhor, quero vossa paz!

A paz, que desejamos, será sempre uma conquista, pois é preciso trabalhar a seu favor. Trabalhar em favor da paz é estar ao lado do Reino de Deus, pois ela é fruto da justiça e do perdão. Promover a paz e defendê-la é dever cristão.

1. Diante do Senhor

Em nome do Pai † e do Filho e do Espírito Santo. Amém.

Senhor Jesus, estou diante de vós e quero vos adorar com toda a sinceridade de meu coração. Vós sois meu Senhor, meu Redentor. Só em vós encontro a paz, que desejo. A minha alma tem desejo de vós, como terra sedenta e sem água. Aceitai, Senhor Jesus, minha presença diante de vós, pois eu não posso nem consigo viver sem vosso amor. Confirmai minha vida em vosso caminho e fazei brotar de meu coração rebentos de paz, para que ela alcance minha família, minha Comunidade e todas as pessoas com as quais convivo todos os dias.

Vosso amor, Senhor, eu sinto bem perto e dentro de mim, e ele é mais forte que a morte, mais forte que a vida. Senhor, eu vos bendigo de todo o meu coração. Guiai meus sentimentos para vós. Amém.

2. A Ele meu louvor e gratidão

Eu vos louvo e vos bendigo, Senhor Jesus, pois vós me ensinastes a viver neste mundo. Vosso Evangelho é vossa verdade que me guia. Quero consultá-lo todos os dias para que ele seja luz em minhas ações e decisões. Em vós está a força de minha vida.

A vós elevo minha alma e todo o meu ser. Elevo minhas mãos para vos agradecer. Elevo meu coração para vos bendizer. Saiba minha boca vos louvar com palavras por vós mesmo inspiradas. Como é bom, Senhor Jesus, poder vos dizer obrigado(a) pela salvação que vós me destes. Amém.

(Permaneça uns instantes em silêncio, agradecendo e louvando ao Senhor.)

3. A Palavra me ilumina

"Vós que temeis o Senhor contai com sua misericórdia; não vos desvieis dele para não cairdes. Vós que temeis o Senhor confiai nele, e vossa recompensa não falhará. Vós que temeis o Senhor esperai seus benefícios, a felicidade eterna e a misericórdia.

Vós que temeis o Senhor amai-o, e vossos corações serão iluminados” (Eclo 2,7-10).

(Permaneça uns instantes em silêncio, meditando a Palavra.)

4. No Senhor está minha vida

Senhor Jesus, que poderei fazer sem vosso amor e sem vossa presença? Ninguém poderá fazer coisa alguma sem vossa misericórdia. Sois meu socorro, meu alento, minha esperança e minha paz. Nada poderá romper os laços de vosso amor, se vós estais comigo. Ficai comigo, Senhor Jesus, e dai-me a força de vossa bondade.

Ó Cristo, eu vos amo muito. Não sou ainda o que vós esperais e desejais que eu seja, mas eu me agarro a vós, pois é vossa força amorosa e vossa misericórdia que me sustentam nesta vida. Amém.

– Graças e louvores se deem a cada momento.

– Ao Santíssimo e Diviníssimo Sacramento!

5. Maria, Mãe de Jesus e minha Mãe

Minha Mãe querida, como é bom poder contar com vossa presença materna. Meu coração pulsa de alegria só em dizer vosso nome, como se alegrou Isabel no dia em que a visitastes. Chamai minha atenção, ó

Mãe, quando eu não prestar atenção à verdade de vosso Filho Jesus. Mãe querida, sois a força materna em minha vida, pois me amparais e me socorreis nas horas mais difíceis e vos fazeis presente nas horas de alegria. Amém.

– Rogai por mim, Santa Mãe de Deus.

– Para que eu seja digno(a) das promessas de Cristo. Amém.

– Pai nosso, que estais no céu...

– Ave, Maria, cheia de graça...

– Glória ao Pai...

6. Despedida

Ó Pai Santo, a vós meu louvor e meu amor. Derramai sobre mim e minha família todo o vosso amor e transformai-nos por vossa misericórdia. Humilde, peço-vos, Senhor: abençoai-me: Em nome do Pai † e do Filho e do Espírito Santo. Amém.

16

Servir é o que importa!

Jesus nos ensinou que o mais importante nesta vida é servir. Se há os que desejam o primeiro lugar e a distinção, o próprio Cristo, sendo o Senhor do céu e da terra, ocupou o último lugar, servindo-nos até no alto da cruz. Ele mesmo nos mostrou que o Filho de Deus veio para servir e não ser servido.

1. Diante do Senhor

Em nome do Pai † e do Filho e do Espírito Santo. Amém.

Jesus, eis-me aqui diante de vós. Quero que meu coração cante vossas maravilhas, alegre-se com vossa justiça e se encante com a beleza de vosso amor infinito. Quero ter diante de meus olhos vosso ensinamento, Senhor, e que assim jamais eu me afaste de vos amar e vos servir nos irmãos e nas irmãs. Inclinai a mim vosso ouvido e não me oculteis vosso rosto, pois é impossível eu viver sem vossa presença.

Reconheço, Senhor Jesus, vossa compaixão para comigo e para com todas as pessoas. Vós me ensinastes a amar servindo, pois o amor não é teoria, é vida em minha vida. Ajudai-me, Senhor, a vos servir com alegria. Sejam de vosso agrado, Senhor Jesus, minha prece e minha presença diante de vós. Eu vos amo, Senhor. Amém.

2. A Ele meu louvor e gratidão

Ouvi e acolhei, ó Jesus, meu louvor e minha gratidão. Meus olhos se voltam para vossa presença no Santíssimo Sacramento. Vós aí esperais por mim e por todas as pessoas que vos buscam com sinceridade de coração. A vós, Senhor, meu louvor e minha gratidão.

Tomai minha existência por inteira, ó Jesus, para que o tesouro de vossa misericórdia faça em mim sua morada. Vós sois a garantia da vida, da beleza, da ternura e da eternidade. Vós quereis dar-me a eternidade, e eu vos bendigo e vos louvo. Amém.

(Permaneça uns instantes em silêncio, agradecendo e louvando ao Senhor.)

3. A Palavra me ilumina

"Jesus disse aos discípulos: 'Sabeis que os chefes das nações as dominam e que os grandes as tiranizam. Mas entre vós não deve acontecer isso. Ao contrário, quem quiser tornar-se grande entre vós seja vosso servo; e quem quiser ser o primeiro seja vosso escravo. É assim que o Filho do homem veio, não para ser servido, mas para servir e dar a vida para resgatar a multidão'" (Mt 20,25-28).

(Permaneça uns instantes em silêncio, meditando a Palavra.)

4. No Senhor está minha vida

Senhor Jesus, vós ensinastes os discípulos a servirem como vós servistes. Eles tiveram dificuldades para compreender vosso ensinamento. Assim sou eu também, Senhor. Dai-me a graça de vencer essas minhas dificuldades, pois, às vezes, só penso em mim mesmo e tenho pouco amor. Sinto-me egoísta e com pouca vontade de amar e de servir.

Vós me destes tudo, todo o vosso amor e toda a vossa vida. Ajudai-me a ser pelo menos um pouco de tudo o que vós fostes e sois para mim e para todas as pessoas. Fortalecei minha decisão de vos amar nos irmãos. Amém.

– Graças e louvores se deem a cada momento.

– Ao Santíssimo e Diviníssimo Sacramento!

5. Maria, Mãe de Jesus e minha Mãe

Maria, vós que fostes a servidora fiel do Reino, em tudo cumprindo a vontade de Deus, tocai em meu frágil coração e tornai-o forte no amor e no serviço humilde e sincero. Vós fostes assim, e, por isso, eu vos peço: Ajudai-me a ser no mundo como vós fostes, amando a Deus e servindo aos irmãos e às irmãs. Ajudai-me a estar atento(a) em todos os instantes de minha vida e que, diante de vosso Filho presente na Eucaristia, eu encontre a força de que preciso nesta vida para ser autêntico(a) e fiel. Amém.

– Rogai por mim, Santa Mãe de Deus.

– Para que eu seja digno(a) das promessas de Cristo. Amém.

– Pai nosso, que estais no céu...

– Ave, Maria, cheia de graça...

– Glória ao Pai...

6. Despedida

Senhor, meu Deus, vós sois a beleza infinita. Belos são vosso amor e vossa misericórdia. Ajudai-me a reconhecer em cada dia o amor com que vós me criastes. Conservai-me em vosso Reino e abençoai-me: Em nome do Pai † e do Filho e do Espírito Santo. Amém.

ORAÇÕES
PARA REZAR DIANTE DE
JESUS SACRAMENTADO

Alma de Cristo (1)

Alma de Cristo, santificai-me! Corpo de Cristo, salvai-me! Sangue de Cristo, inebriai-me!

Água do lado de Cristo, lavai-me! Paixão de Cristo, confortai-me! Ó bom Jesus, ouvi-me!

Dentro de vossas chagas, escondei-me! Não permitais que me separe de vós! Do espírito maligno, defendei-me! Na hora da morte, chamai-me e mandai-me ir para vós, para que com vossos Santos vos louve por todos os séculos dos séculos! Amém!

Alma de Cristo (2)

Alma de Cristo, dá-me o dom de tua santidade! Corpo de Cristo, traze-me a salvação! Sangue de Cristo, inebria-me de ti! Água do lado de Cristo, lava minhas culpas!

Paixão de Cristo, fortalece minha fraqueza! Ó bom Jesus, ouve minha prece! Dentro de tuas chagas, dá-me refúgio! Que eu não seja jamais separado de ti! Do maligno que me assalta, defende-me! Na hora da morte, chama-me para que eu vá a ti, para cantar eternamente teus louvores! Amém!

Oferecimento de si mesmo

Recebei, Senhor, minha liberdade inteira. Recebei minha memória, minha inteligência e toda a minha vontade. Tudo o que tenho ou possuo, de vós me veio; tudo vos devolvo e entrego sem reserva para que a vossa vontade tudo governe. Dai-me somente vosso amor e vossa graça e nada mais vos peço, pois já serei bastante rico.

Cântico Eucarístico Polaco

"Saudamos-vos, Hóstia viva, na qual Jesus Cristo esconde a divindade.

Salve, Jesus, Filho de Maria, na santa Hóstia vós sois o Deus verdadeiro".

Copiosa Redenção

Ó copiosa redenção, Deus amor, Deus perdão!

Ó bendita salvação, Deus amor, Deus perdão!

Ó bendita encarnação, Deus amor, Deus perdão!

Ó bendita misericórdia, Deus amor, Deus perdão!

Ó bendito Santo entre nós, Jesus Cristo, Deus amor, Deus perdão!

Fazei-nos verdadeiros irmãos vossos, e seja nosso coração sublime, pleno de bondade e de misericórdia, de caridade e de perdão! Amém!

Oração Vocacional

Jesus, mestre divino, que chamastes os Apóstolos a vos seguirem, continuai a passar pelas nossas famílias, pelas nossas escolas e continuai a repetir o convite a muitos de nossos jovens. Dai coragem às pessoas convidadas. Dai força para que vos sejam fiéis como apóstolos leigos, como diáconos, padres e bispos, como religiosos e religiosas, como missionários e missionárias, para o bem do povo de Deus e de toda a humanidade. Amém.

Índice

A marca FSC® é a garantia de que a madeira utilizada na fabricação do papel deste livro provém de florestas que foram gerenciadas de maneira ambientalmente correta, socialmente justa e economicamente viável.

Este livro foi composto com as famílias tipográficas Garamond Black Condensed SSi e Franklin Gothic Book e impresso em papel Offset 63g/m² pela **Gráfica Santuário.**